CAPITAIN ʼÉL

Éric Sanvoisin

Vanessa Gautier

MAGNARD

QUE D'HISTOIRES !
CE1

Pour Tinaël, bien sûr, héros de cette histoire
et d'une autre à construire…

«Que d'histoires !» CE1, 2e série,
animée par Françoise Guillaumond

© Éditions Magnard, 2005 - Paris
pour la présente édition.
5, allée de la 2e DB - 75015 Paris

1

Le donjon des océans

LA MER EST PARTOUT. Elle m'encercle. Impossible de lui échapper. Et je ne suis même pas sur un bateau…

« Tinaël, cesse donc d'admirer les vagues ! Tu vas finir par t'y engloutir. Viens plutôt manger ! »

À regret, je décolle mes mains de la rambarde en fonte pour rentrer à l'abri du vent. Sitôt la porte fermée, le sifflement s'estompe. Je ressens un grand vide dans mes oreilles. Mes jambes n'ont pourtant effectué que quelques pas…

Mon père m'observe avec amusement. Je devine à son sourire creusé de rides profondes qu'il se moque de moi. Il donne un coup de coude à Loïc, son second, qui s'esclaffe :

« J'espère que tu n'as pas le mal de mer, au moins ! »

Je ne réponds pas, un peu vexé. Comment ressentir le mal de mer sur un donjon des océans ?

C'est la première fois que mon père m'emmène à Roches-Louves. Le phare est planté sur ce minuscule îlot rocheux où même les mauvaises herbes ne poussent pas ; on y accède en bateau, quand le temps le permet. Nous sommes là pour un mois, coupés du monde, de ma mère et de mes sœurs qui sont restées à terre. Elles me manquent déjà mais je n'en parle pas. Je suis tellement fier !

Dans trois jours, le 17 septembre 1823, j'aurai dix ans. Pour mon âge, je suis grand et costaud. Presque un homme ! m'a complimenté Loïc sur le voilier qui nous a conduits jusqu'au phare, mais je me demande s'il était vraiment sincère. Je m'en fiche. J'ai participé aux manœuvres comme un vrai mousse !

Pendant ce long mois qui m'attend, je vais apprendre le métier et prouver à mon père et à son second que je suis de la même graine qu'eux. J'ai ça dans la peau. C'est la vie que j'ai choisie.

2

La goélette de l'homme en noir

APRÈS LE REPAS, mon père a pris le troisième quart qui commence à midi pour se terminer vers une heure du matin. Je l'entends siffloter tandis qu'il astique les lanternes. Loïc est descendu se reposer dans la pièce commune où nous travaillons, mangeons et dormons. Moi, je regarde la mer, hypnotisé par son mouvement perpétuel. Elle ne s'arrête jamais, ne dort jamais. Et quand elle se fâche, les hommes ne sont pas les seuls à trembler. Le phare, lui aussi, se crispe de peur.

Soudain, je mets la main en visière au-dessus de mes yeux pour les protéger du soleil et me raidis. Un bateau! On dirait une goélette à trois mâts. Elle semble naviguer droit sur nous. C'est étrange.

D'habitude, les navires passent au large en faisant des signes aux gardiens. Ils ne viennent jamais narguer les écueils invisibles qui dessinent comme des tentacules à notre îlot et le font ressembler à une pieuvre.

« Papa, papa! »

Mais mon père a déjà aperçu la goélette. Il la détaille avec perplexité.

« Pourquoi s'approche-t-elle aussi près?

— Je crois qu'il y a un problème à bord. Réveille Loïc. Moi, je vais voir de quoi il retourne. »

Mon père range ses chiffons et emprunte l'interminable escalier qui tournicote jusqu'au pied du phare. Avant d'abandonner mon poste d'observation, je jette un dernier coup d'œil au navire. Il a jeté l'ancre à cent mètres du débarcadère.

Lentement, les hommes d'équipage descendent une chaloupe à la mer dans laquelle prennent place dix d'entre eux. Debout à l'arrière, un homme vêtu de noir dirige la manœuvre.

« Loïc, Loïc! Lève-toi! »

Le second abandonne sa couchette de fort mauvaise humeur.

« Quoi! Ne me dis pas qu'il est déjà l'heure de prendre le premier quart? D'ailleurs, il fait grand jour! Si c'est une blague, tu ne perds rien pour attendre! »

Je lui explique la situation. Il se calme aussitôt. Nous gagnons la plateforme. La chaloupe accoste déjà à quelques pas de mon père. Les marins grimpent sur le ponton. J'aimerais bien entendre ce qu'ils se disent. Malheureusement, une trop grande distance nous sépare.

L'homme en noir se hisse à son tour sur la terre ferme. Je frissonne. Il se dégage de sa silhouette quelque chose de malsain. En boitant, il vient se placer devant mon père qui fait de grands gestes. À mes côtés, Loïc est tendu comme une corde d'amarrage.

« De quoi parlent-ils, Loïc ?

— Je n'en sais rien, Tinaël. Mais je sens que nous allons avoir des ennuis. »

À peine a-t-il fini de parler que les événements se précipitent. Un cri déchire le bruit de la houle. L'homme en noir frappe mon père, qui tombe à genoux.

Loïc se rue dans le local où est rangé tout le matériel et revient armé d'un fusil et d'une longue-vue. Il déplie cette dernière et la braque vers l'embarcadère. Les marins se sont mis en marche, portant mon père comme une vulgaire prise de chasse.

« Nous sommes perdus », murmure Loïc en glissant son fusil sous une trappe dissimulée dans le plancher métallique.

Je saisis la longue-vue et regarde à mon tour. L'homme en noir marche cahin-caha, en pointant sur la tempe de mon père, le canon d'un long pistolet…

3

C comme Capitaine Cruel...

ENSUITE, tout va très vite. Beaucoup trop vite...

Pour ne pas risquer la vie de mon père, Loïc se rend sans combattre. De toute façon, contre un équipage entier, qu'aurait-il pu faire?

« Méfie-toi, ce sont des pirates, des êtres sans pitié, me murmure-t-il.

— Que nous veulent-ils?

— Je n'en sais rien. Il n'y a rien à voler dans un phare... »

Les marins enferment Loïc et mon père, toujours inconscient, au pied du phare, dans la remise froide et humide qui sert à entreposer les bouées et les cordages.

« Et l'enfant ? demande Loïc, voyant qu'on me maintient à l'écart.

— On le garde avec nous ! Si vous tentez quoi que ce soit, il paiera à votre place. Dis-le à son père quand il reviendra du pays des songes. »

Le visage de l'homme en noir, zébré de cicatrices, a quelque chose d'une tête de mort. En le voyant de près, je comprends pourquoi sa démarche me paraissait si singulière : l'une de ses jambes est en bois.

« Dis-moi, morveux, sais-tu combien de bateaux passent par ici ?

— Au moins un par jour ! Parfois, on en voit même deux… »

Avec le sentiment d'en avoir trop dit, je me tais. Trop tard. Pourquoi me pose-t-il une question pareille ? S'ils espèrent trouver une cachette sûre et tranquille dans l'îlot des Roches-Louves, ils se trompent lourdement. Dans moins d'un mois, la relève sera là et donnera l'alerte.

« Connais-tu le jour de la relève ? »

Mais, ma parole, il lit dans mon esprit !

« Oh, pas avant deux mois, Monsieur… »

Je reçois une gifle cinglante qui me rend à moitié sourd. Je me mords la lèvre inférieure pour ne pas pleurer.

« Appelle-moi Capitaine Cruel, pas Monsieur ! C'est indigne de moi. »

Je hoche la tête, incapable de prononcer un mot.

« J'ai examiné les vivres du phare. Il y a de quoi tenir six semaines, pas une de plus. Et comme la venue de la relève dépend de la bonne volonté de la mer, je te parie qu'elle est prévue pour dans… un mois. Si tu me mens encore une fois, je te tranche la langue…»

Le capitaine Cruel m'arrache une touffe de cheveux et s'éclipse avec son sourire tordu. Je le déteste.

4

Les mystérieux préparatifs
du Capitaine

À LA NUIT TOMBÉE, le capitaine Cruel regagne son bateau, laissant derrière lui six hommes d'équipage. L'ennui, c'est qu'il m'a emmené avec lui. Je me suis débattu avec vigueur, mais un des pirates m'a saisi par une oreille et m'a caressé le cou avec le tranchant de son coutelas.

« Une invitation du capitaine Cruel, ça ne se refuse pas ! »

Alors, je l'ai suivi en essayant de dissimuler les tremblements qui agitaient mon corps.

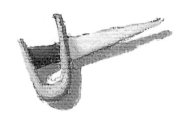

À présent, je suis à bord. J'ai peur, mais je ne peux m'empêcher d'admirer la goélette. Quel beau navire ! Le grand mât central est si haut qu'il semble toucher les étoiles. L'escalader doit donner de sacrés frissons. Si je ne me destinais pas à devenir gardien de phare, j'aurais voulu être marin et faire le tour du monde. Hélas, mon avenir semble bien compromis.

Le capitaine Cruel m'oblige à manger en sa compagnie dans sa luxueuse cabine. Je n'ai pas faim. Je picore.

« Vous êtes un pirate, monsieur Cruel ? »

Son regard me transperce comme une balle de fusil.

« Euh, je voulais dire… Capitaine Cruel !

— Puisque tu es si curieux, je vais te confier quelque chose. Dans la vie, il y a deux sortes de pirates. Ceux qui attaquent les bateaux en pleine mer à la force du sabre et du canon, et ceux qui laissent agir la nature avant d'en cueillir tranquillement les fruits. Les premiers ne font pas de vieux os et se balancent tôt ou tard au bout d'une corde. Les seconds, comme moi, auront peut-être la chance de devenir d'abominables grands-pères. »

Et il part d'un rire interminable.

Sur le moment, je ne comprends pas ce qu'il veut dire. Un pirate qui s'en remet à la nature, qu'est-ce que c'est ?

Je m'endors avec cette question en tête, sans savoir que la réponse ne tardera pas…

De retour sur l'île, le lendemain matin, je profite de ma semi-liberté pour épier les faits et gestes des pirates. Intrigué, j'observe une agitation bien étrange.

D'abord, un incroyable va-et-vient entre la partie habitée de l'îlot et son point le plus extrême, une mince barre rocheuse ressemblant à une falaise de poche. Les bandits y transportent toutes les lanternes du phare et leurs réserves d'huile de baleine.

Puis ils construisent un embarcadère de fortune dans une crique très dangereuse qu'aucun bateau ne peut aborder sans couler.

Enfin, leur navire appareille et s'éloigne vers l'est. C'est absurde ! Le capitaine Cruel partirait-il en abandonnant plusieurs de ses hommes sur

l'îlot ? Non, bien sûr que non. Son bâtiment contourne le phare et vient
mouiller de l'autre côté, dans une anse
profonde et abritée des vents.

Agacé de ne pas comprendre ce que
ces coupeurs de gorge mijotent, je finis
par interroger l'un d'eux. Mais il me
bouscule sans ménagement et passe
son chemin.

« Occupe-toi de tes affaires, mous-
tique ! »

Me voilà bien avancé. Je prends
mon mal en patience et, le soir, enfin,
tout s'éclaire.

5

Les charognards

LORSQUE la nuit tombe, le phare, plongé dans le noir, est à peine visible. Je devine sa silhouette dressée au bord de l'eau.

Curieusement, les marins ont allumé les lanternes au sommet de la falaise de poche. Leur éclat paraît ridicule mais on doit malgré tout les apercevoir du large.

Presque au même moment, le vent

se lève. En quelques minutes, le ciel étoilé se couvre d'une épaisse couche de nuages. La nuit se transforme en puits sans fond. Seules les lueurs du nouveau phare de fortune et les zébrures terrifiantes des éclairs parviennent à trouer l'obscurité. Le fracas du tonnerre est assourdissant.

Angoissé, je cours me réfugier dans le phare désormais éteint. Du sommet, derrière les épaisses vitres qui me protègent de la tempête, j'assiste alors à un spectacle épouvantable.

Un bateau se débat, pris dans la tourmente. Les vagues le ballottent comme un vulgaire morceau de bois. Mais pourquoi s'approche-t-il si près de la crique aux terribles dents de pierre ? Il va s'y éventrer !

Des bruits sinistres me parviennent soudain, confirmant mes craintes. Le navire se brise net sous mes yeux. Couché sur le flanc, il est déjà en train de sombrer. Le souffle puissant du vent a déchiré ses voiles et abattu ses mâts. Tout est fini. Les survivants, s'il y en a, n'ont aucune chance de s'en sortir. La mer s'agite beaucoup trop dans cette crique où les rochers se montrent plus meurtriers que des requins.

Mon Dieu! Je tombe à genoux en découvrant l'horrible tactique du capitaine Cruel. Il attire les bateaux en difficulté avec un leurre qui les précipite droit sur les écueils. Ensuite, comme des charognards, ses hommes n'ont plus qu'à piller l'épave.

C'est à cette scène écœurante que j'assiste le lendemain matin, après avoir quitté le phare en catimini. Sous

un ciel redevenu bleu, les pirates uti-
lisent des chaloupes pour aborder le
bateau blessé. Ils s'emparent de tous
les objets de valeur encore contenus
dans sa carcasse coupée en deux, sans
oublier ceux qui flottent parmi les
cadavres et les débris.

Caché derrière un promontoire qui surplombe la crique, je pleure de dégoût. Combien de navires vont-ils ainsi saigner à blanc avant l'arrivée de la relève ? Trop, beaucoup trop…

Je dois faire quelque chose avant la nuit prochaine. Non, tout de suite ! Sur mes épaules repose la vie de dizaines de personnes, celle de Loïc et de mon père… et puis la mienne. Car je viens de comprendre que nous représentons pour le capitaine Cruel des témoins gênants. Avant de disparaître à l'horizon, il nous tuera sûrement.

6

Tinaël se révolte

PENDANT que les vautours finissent de nettoyer le voilier à l'agonie, je me glisse dans le phare et grimpe tout en haut. Personne ne fait attention à moi.

Une fois sur la plate-forme, je récupère le fusil habilement dissimulé par Loïc. Je sais m'en servir, mon père m'a appris à chasser l'année dernière. Mais je ne suis pas un imbécile. Pas question de faire justice tout seul. Je ne suis pas de taille.

Quand je redescends, je tombe nez à nez avec le cuisinier-pirate. Mon cœur manque de s'arrêter.

« Que fais-tu là, moucheron, avec ce drôle de jouet ? » me demande-t-il en agitant sous mon nez un énorme couteau.

Sans réfléchir, je lui balance la crosse du fusil dans la figure. De toutes mes forces ! Il tombe à la renverse sans même un gémissement et dégringole les dernières marches de l'escalier. S'il n'est pas mort, c'est tout comme. Je l'enjambe et file vers la remise.

Comme je n'ai pas les clefs, je fracasse la serrure de la porte. Loïc et mon père sont éberlués de me voir. Nous nous étreignons longuement. Mon père a mauvaise mine mais sa blessure à la tête ne semble pas trop grave. Je lui raconte en quelques mots les derniers événements. Il entre aussitôt dans une colère noire et s'apprête à sortir pour s'attaquer aux pirates ! Afin de le calmer, je lui explique le plan qui s'est mis en place dans ma caboche.

« Formidable ! » me complimente-t-il, les yeux brillants de larmes.

Et il me sert encore plus fort contre lui.

« Arrêtez de vous embrasser ! se fâche Loïc. Nous ne sommes pas encore tirés d'affaire.

— Tu as raison, allons-y ! » décide mon père.

Laissant le phare derrière nous, nous courons tête baissée et le dos rond à l'opposé de la crique maudite. Tous les pirates étant occupés par leur sinistre besogne, nous ne faisons aucune mauvaise rencontre.

Mais vient le moment où la terre ferme s'arrête et où il faut se jeter à l'eau. Brrr ! que la mer peut être glaciale ! Par chance, elle n'est pas très agitée et ne nous ballotte pas trop dans ses vagues. Pour ne pas couler comme des

glaçons, nous nageons avec énergie
en direction du bâtiment des pirates.

Nous grimpons à bord par l'énorme corde à laquelle est fixée l'ancre.

Une fois sur le pont, je soupire d'aise tout en grelottant. Le plus dur est accompli…

« Hep ! Qu'est-ce que… ? »

Surgi de nulle part, un marin tombe nez à nez avec mon père. Mauvaise rencontre pour le forban, qui se prend un méchant coup de front dans le nez avant de passer par-dessus bord.

« Tu crois qu'il y en a encore beaucoup ? demande Loïc, pas très rassuré.

— Nous allons tout de suite en avoir le cœur net. Explorons le navire avant de lever l'ancre. »

Nous nous séparons pour perdre le moins de temps possible. L'intérieur du bateau paraît si calme qu'on le dirait abandonné. Malheureusement, dans la cabine du capitaine, une mauvaise surprise m'attend : Cruel en personne ! Il semble dormir, allongé sur sa couchette. Mais dès que je fais mine d'approcher, il se redresse comme un diable monté sur un ressort.

« Je savais bien que tu étais un petit gars plein de ressources. Quel dommage que tu sois né du mauvais côté de la barrière ! »

Il brandit un sabre qu'il abat vers moi pour me décapiter. Je plonge. La lame passe à un doigt de mon oreille. En me relevant, je réalise avec horreur que je vais devoir défendre ma vie contre un assassin. Je n'ai pas l'ombre d'une chance.

Sur le mur de la cabine sont accrochées différentes armes. Je m'empare de la plus proche, une hachette aiguisée comme une lame de rasoir, et en menace le capitaine. Il s'esclaffe :

« Je vais t'écraser comme une fourmi ! »

Tentant le tout pour le tout, je me précipite vers le monstrueux Cruel. L'eau qui dégouline de mes vêtements trempés me fait déraper au moment où le sabre de mon ennemi va m'embrocher. Lancé dans une folle glissade, je me cramponne à ma hachette qui heurte la jambe de bois du pirate et la sectionne net. Cruel s'écroule en jurant.

Hélas, mon crâne frappe un lourd coffre de bois. Une douleur atroce me scie la nuque. J'ai à peine le temps d'apercevoir le pirate ramper vers moi, son sabre entre les dents. Au moment de crier, je sombre dans l'inconscience. Une dernière pensée me traverse le cerveau : « Je vais mourir. Adieu, maman… »

Épilogue

Extrait de la *Gazette d'Armor* du 21 septembre 1823 :

**Dernière nouvelle :
Le courageux Tinaël
coupe les ailes
du terrible capitaine Cruel !**

Le capitaine Cruel n'avait qu'une faiblesse : sa jambe de bois. C'est là que Tinaël a frappé, transformant le forban en éclopé. Mais il s'en est fallu d'un cheveu. Sans l'intervention miraculeuse de son père, le gardien de phare de Roches-Louves, et de son assistant, notre jeune héros aurait perdu son duel avec l'ignoble pirate. Tous trois ont ensuite ramené son bateau, tant bien que mal, avec leur précieux prisonnier enchaîné à fond de cale. C'est à cloche-pied que le capitaine Cruel est descendu à terre. Mais comme il sera bientôt pendu haut et court, sa jambe de bois brisée ne lui manquera pas longtemps !

Un vaisseau de guerre est parti ce matin pour ramener ses compagnons de malheur. Ils ne tarderont pas à le rejoindre en enfer.

Bravo, Tinaël ! En libérant le phare de l'Ouest des naufrageurs, tu as sauvé la vie de nombreux marins et voyageurs. Nous sommes fiers de toi !

Dépôt légal : avril 2005 - N° d'éditeur : 2016_0869
Imprimé en France en février 2016 par Pollina - L75034